Ce livre appartient à

ISBN 978-2-211-04230-7

Première édition dans la collection *lutin poche* : octobre 1996

© 1994, l'école des loisirs, Paris

Loi numéro 49 956 du 16 juillet 1949 sur les publications

destinées à la jeunesse : octobre 1996

Dépôt légal : octobre 2010

Imprimé en France par CPI Aubin Imprimeur à Ligugé

On ne peut pas !

Jeanne Ashbé

Pastel
lutin poche de l'école des loisirs
11, rue de Sèvres, Paris 6ᵉ

Tirer les lunettes de Papa,
tous les petits font ça !
Mais...

Non, non, non,
on ne peut pas !

Un gros baiser
c'est tellement mieux.

Mettre de l'eau partout,
ça mouille, ça mouille !
Mais...

Non, non, non,
on ne peut pas !

Plouch, plouch,
dans le bain,
c'est tellement mieux.

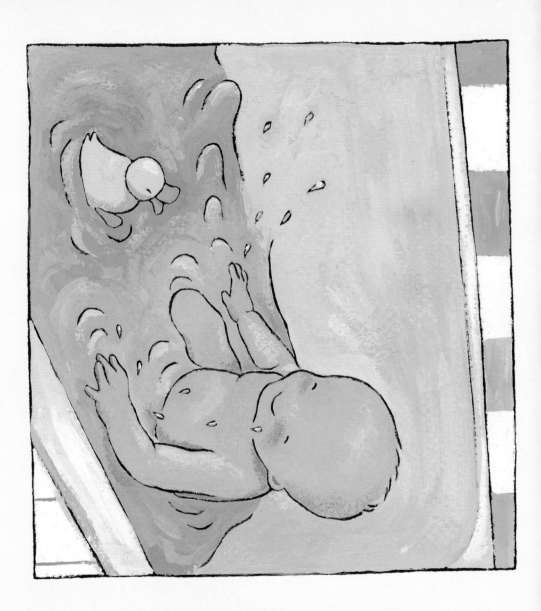

Attraper la queue du chat...
Oh là là !
Ksss...

Non, non, non,
on ne peut pas !

Tout doux, petit chat, c'est tellement mieux.

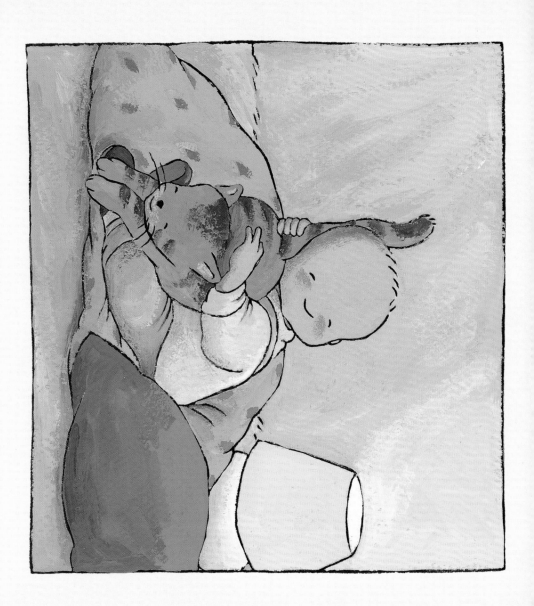

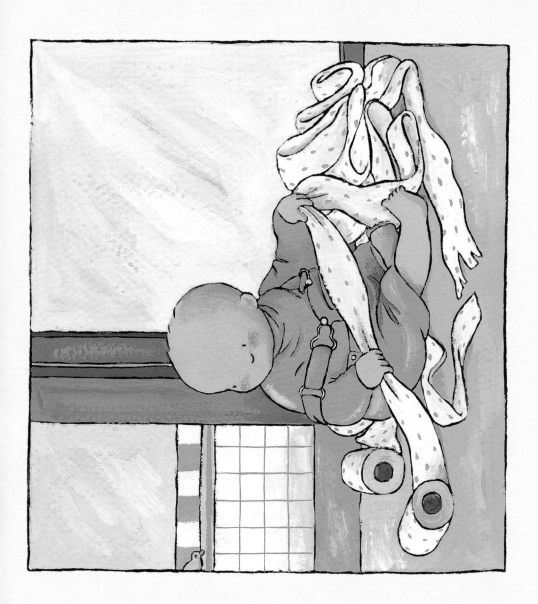

Le papier se déroule, se déroule.

Ça, c'est amusant!

Mais…

Non, non, non,
on ne peut pas!

Faire une tour
avec les rouleaux,
c'est tellement mieux.

Paf, elle est cassée !

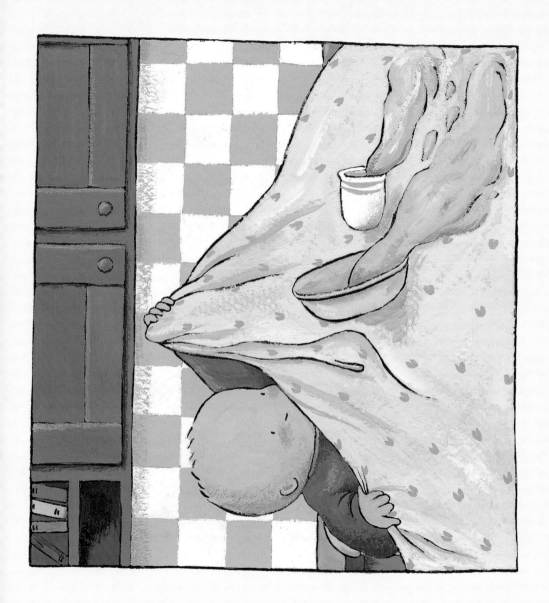

Tirer sur la nappe et tout renverser, c'est une idée.

Mais...

Non, non, non, on ne peut pas !

Boum, boum
sur l'assiette,
c'est tellement mieux.

Déchirer les pages,
scritch, scratch, pourquoi pas ?
Mais...

Non, non, non,
on ne peut pas !

Lire un livre
avec Mamy,
c'est tellement mieux.